WOLF ERLBRUCH

La gran
pregunta

BOLONIA
Premio 2004
Categoría Ficción

Feria
Internacional
del Libro
Infantil

Título original: *La grande question*
© Del texto y las ilustraciones: Wolf Erlbruch
© De esta edición: Editorial Kókinos, 2005
Web: www.editorialkokinos.com
Editado con el acuerdo de Éditions Être, Paris
Traducción de Esther Rubio
ISBN: 84-88342-75-6
Depósito Legal: B-2576-05

Impreso en España-*Printed in Spain*

WOLF ERLBRUCH

La gran
pregunta

KóKINOS

«Es para celebrar tu cumpleaños por lo que estás en la Tierra», responde el hermano.

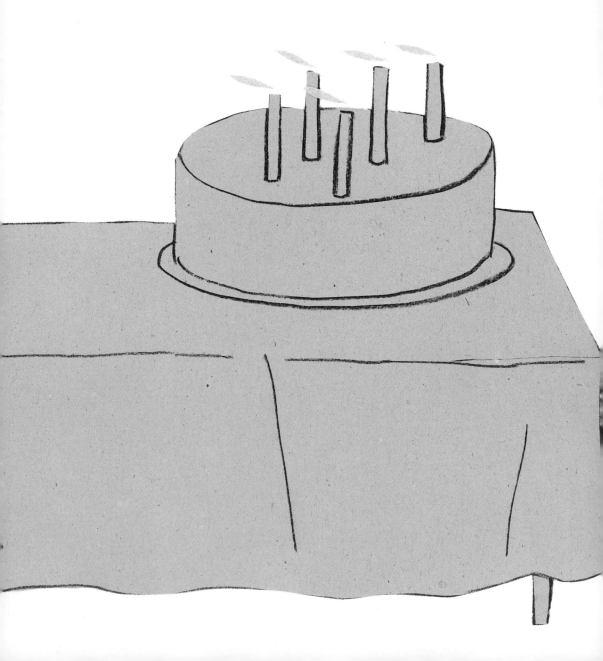

Y el gato dice: «Has venido al mundo para ronronear. Un poco también por los ratones».

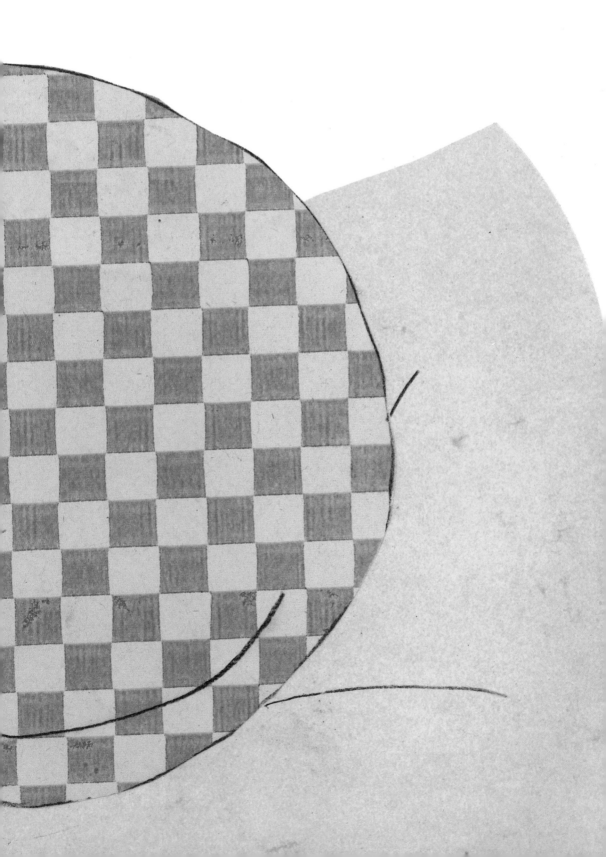

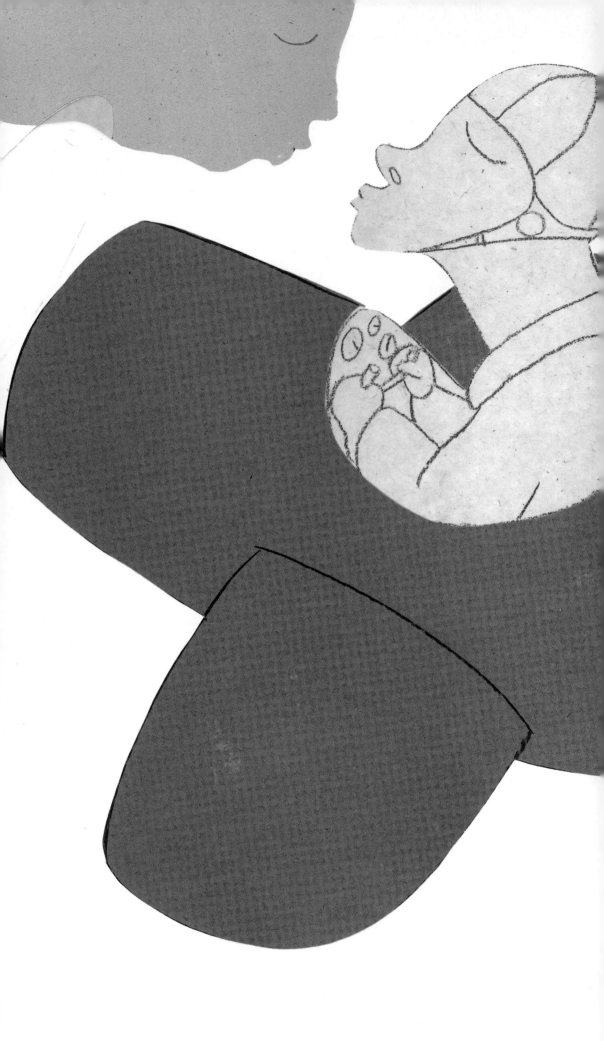

El piloto: «Estás aquí
para besar las nubes».

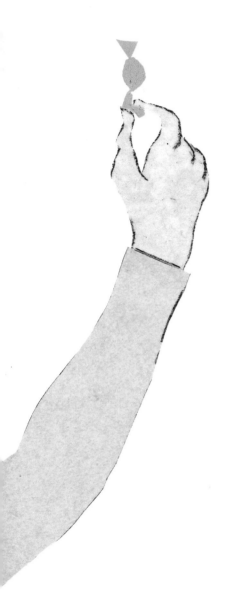

La abuela: «¡Para que yo pueda mimarte, por supuesto!»

El pájaro: «¡Para cantar tu canción!»

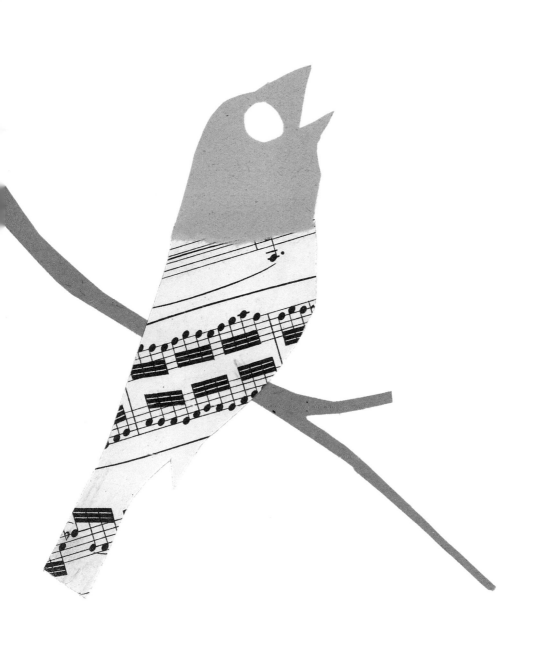

El hombre enorme: «¡Para comer bien!

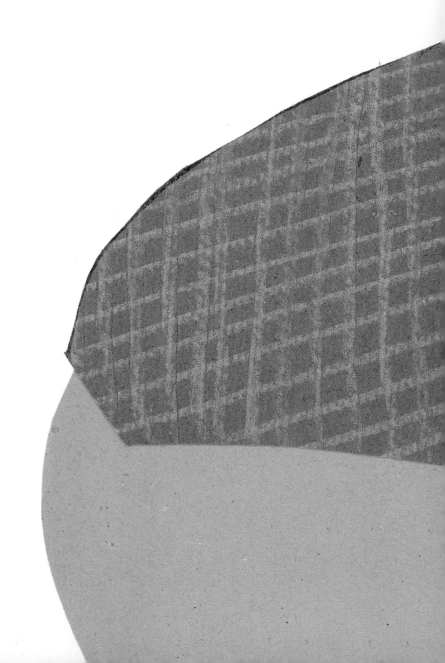

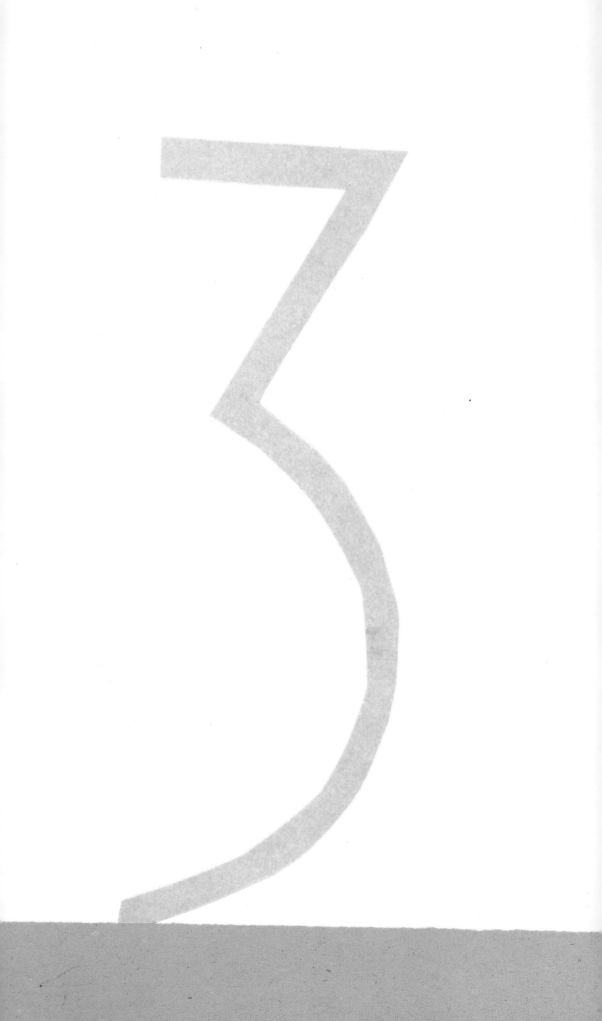

El tres: «Para saber, un día,
contar hasta tres».

El soldado: «Estás aquí para obedecer».

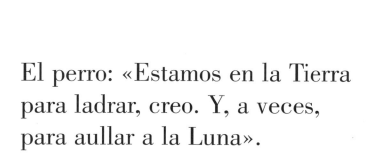

El perro: «Estamos en la Tierra
para ladrar, creo. Y, a veces,
para aullar a la Luna».

El marinero: «Para navegar
por todos los mares».

La muerte: «Estás aquí para amar la vida».

La piedra: «Estás aquí para estar aquí».

El papá: «Porque tu mamá y yo
nos amamos».

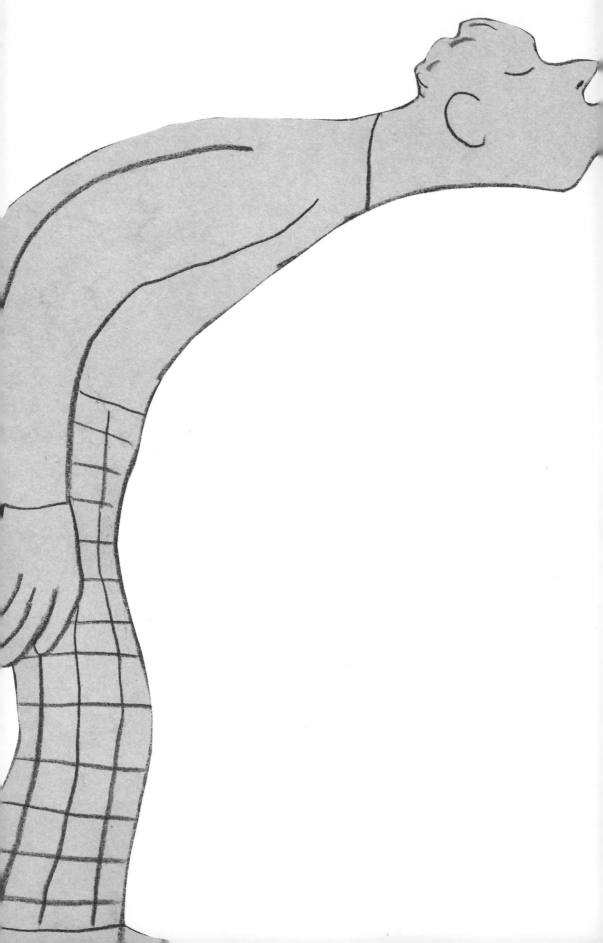

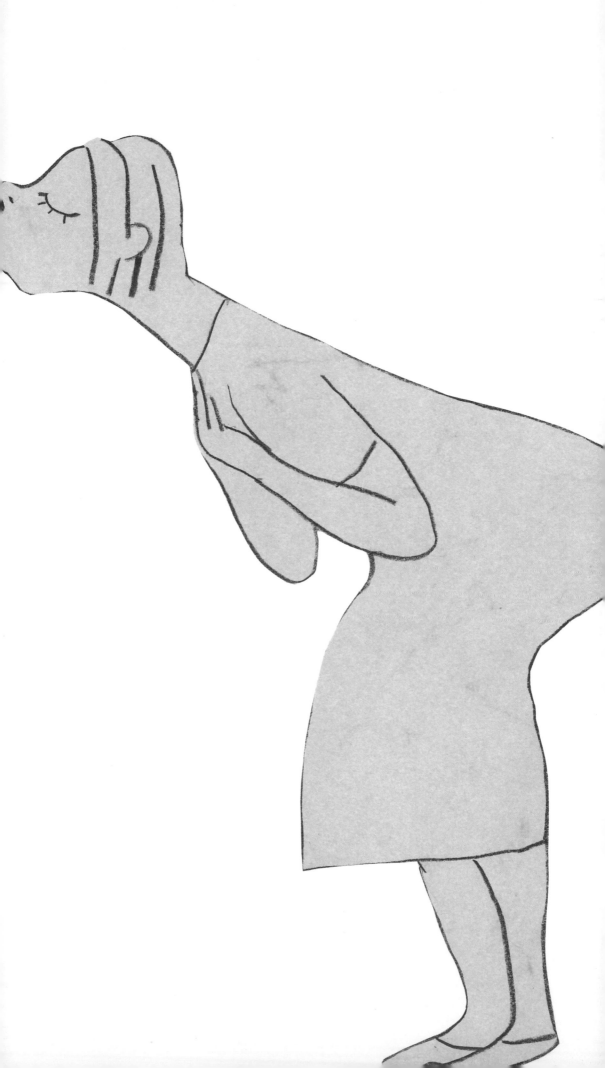

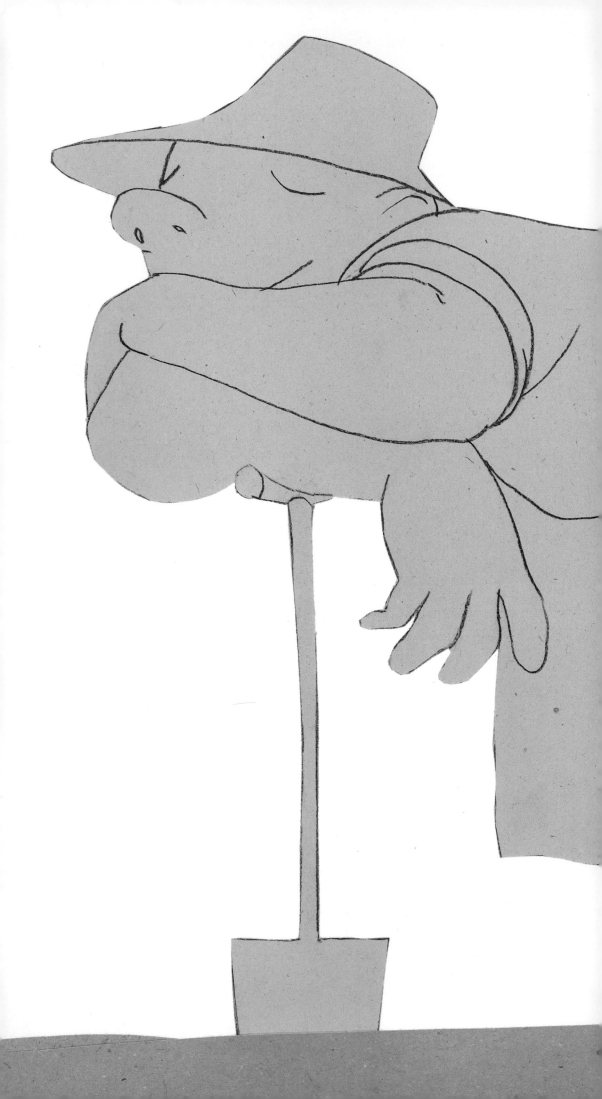

El jardinero: «Para aprender a esperar».

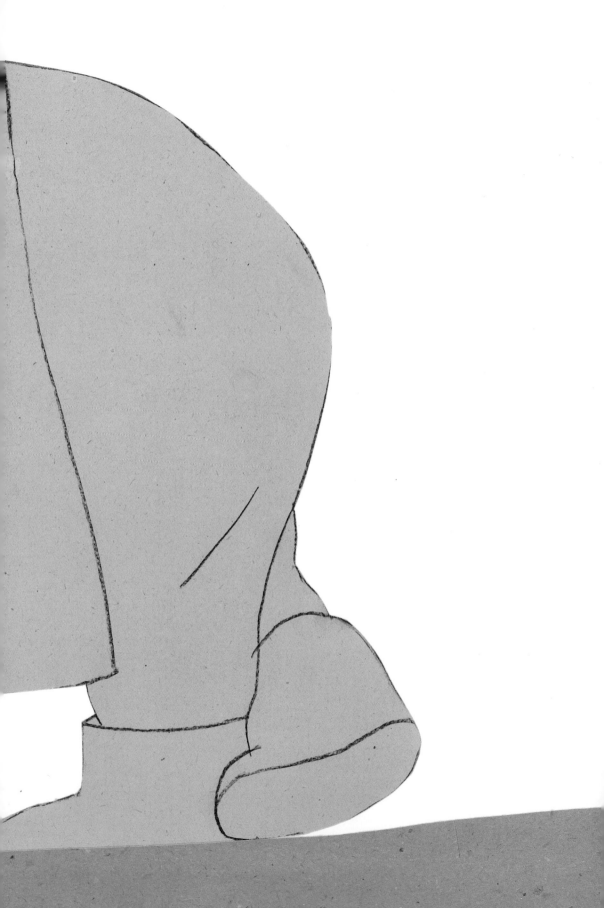

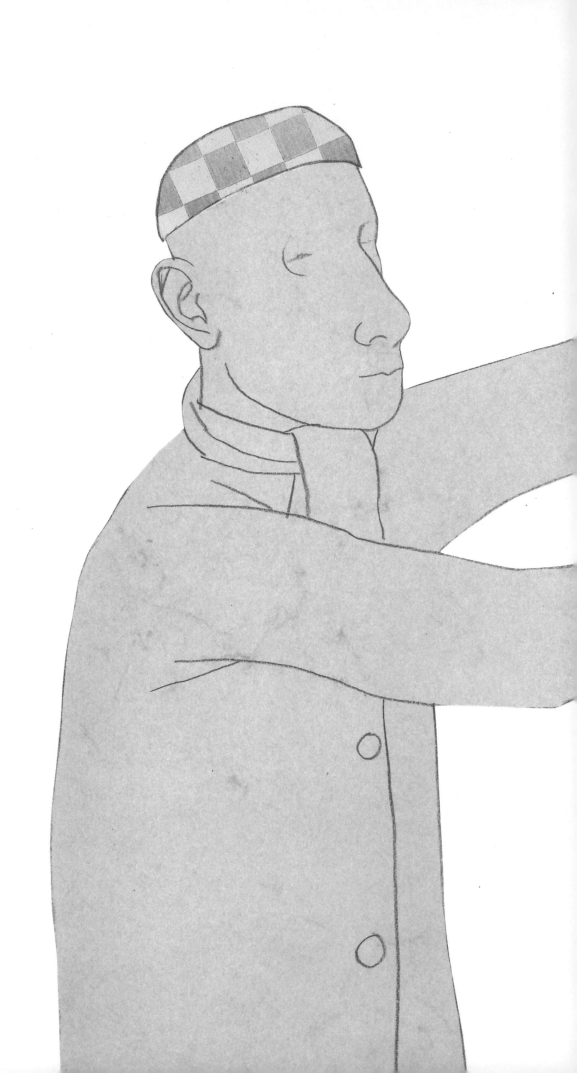

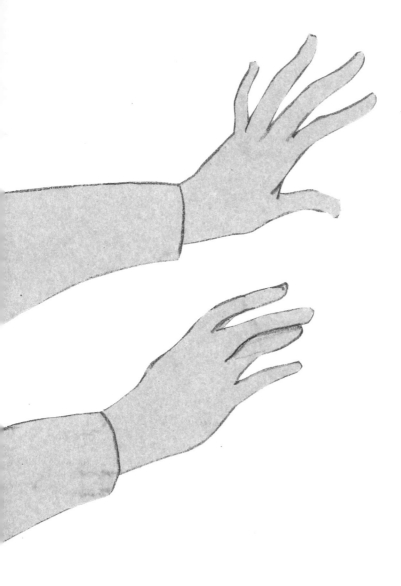

El ciego: «Para aprender a confiar».

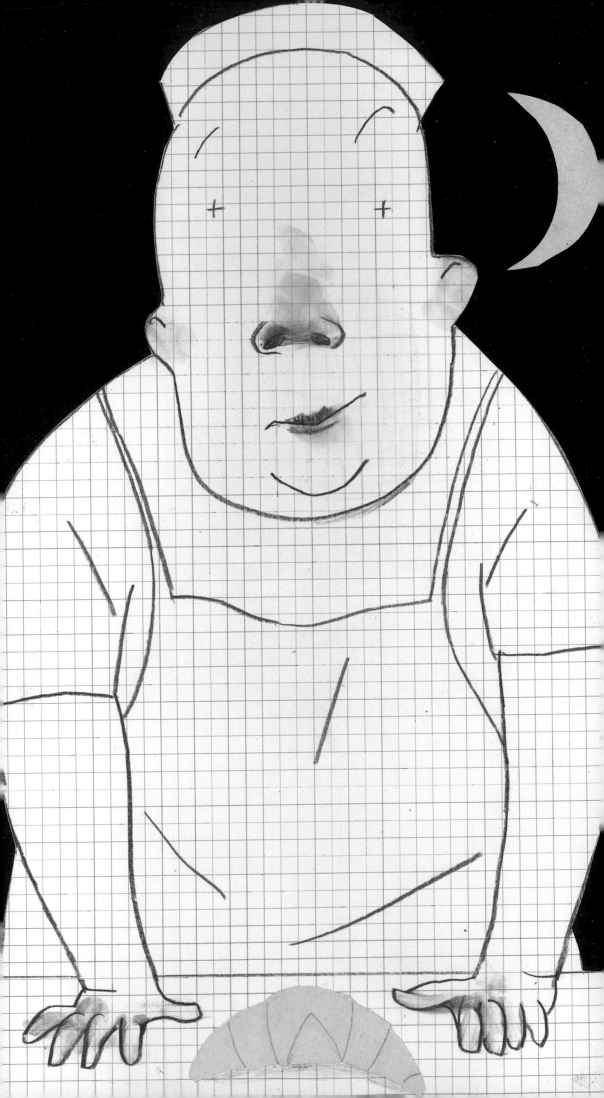

El panadero: «Estás aquí para madrugar».

El pato: «No tengo ni idea».

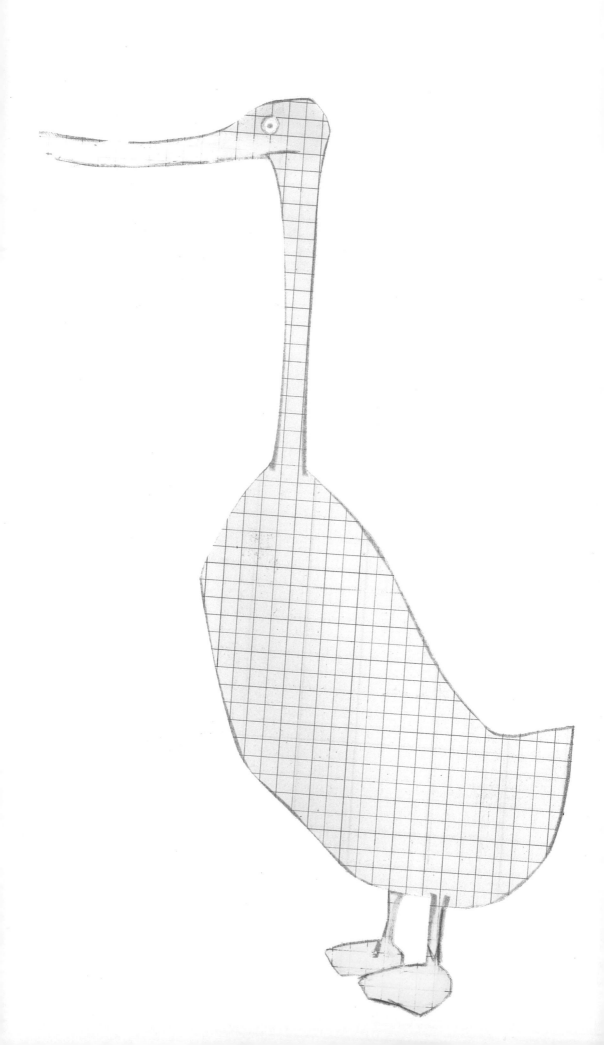

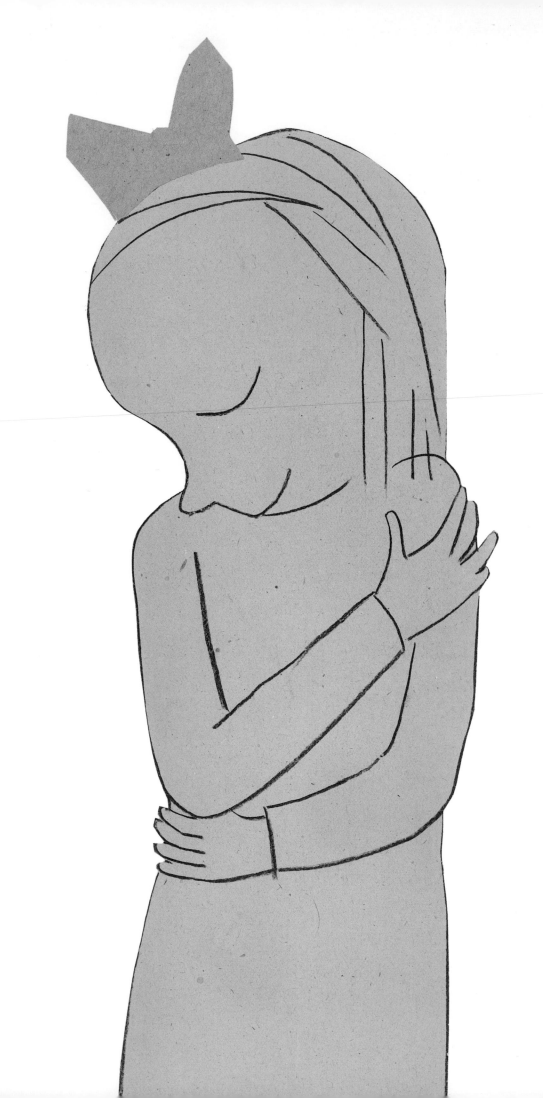

La hermana: «Estás aquí
para quererte a ti mismo».

El conejo: «Estás aquí para que te acaricien».

El boxeador: «¡Para luchar!»

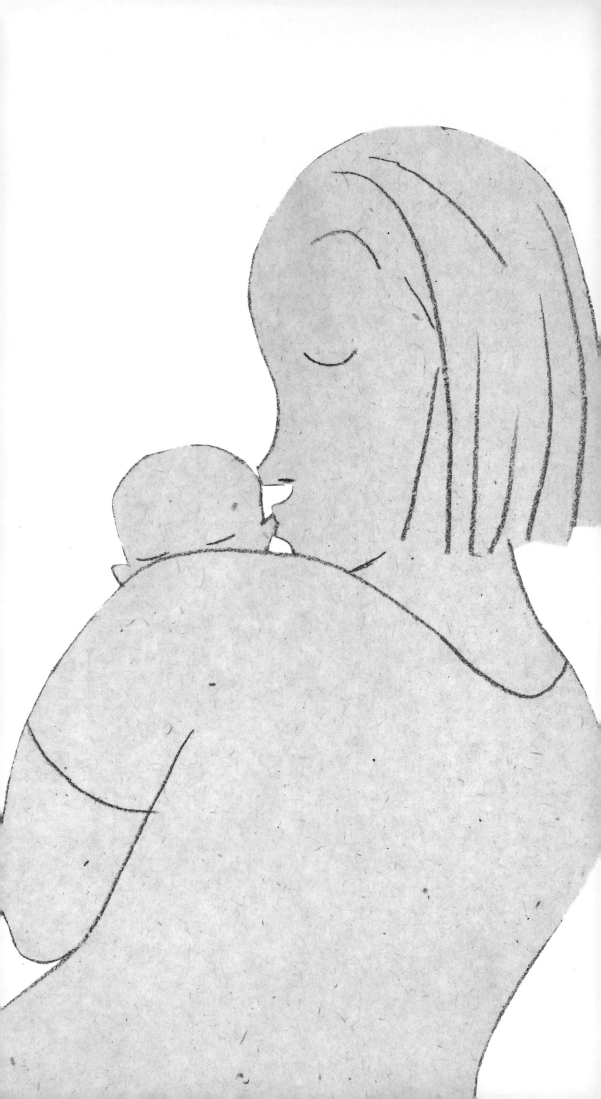

Y la mamá: «Estas aquí para que yo te quiera».

Y cuando crezcas, seguramente, encontrarás otras respuestas a la gran pregunta.

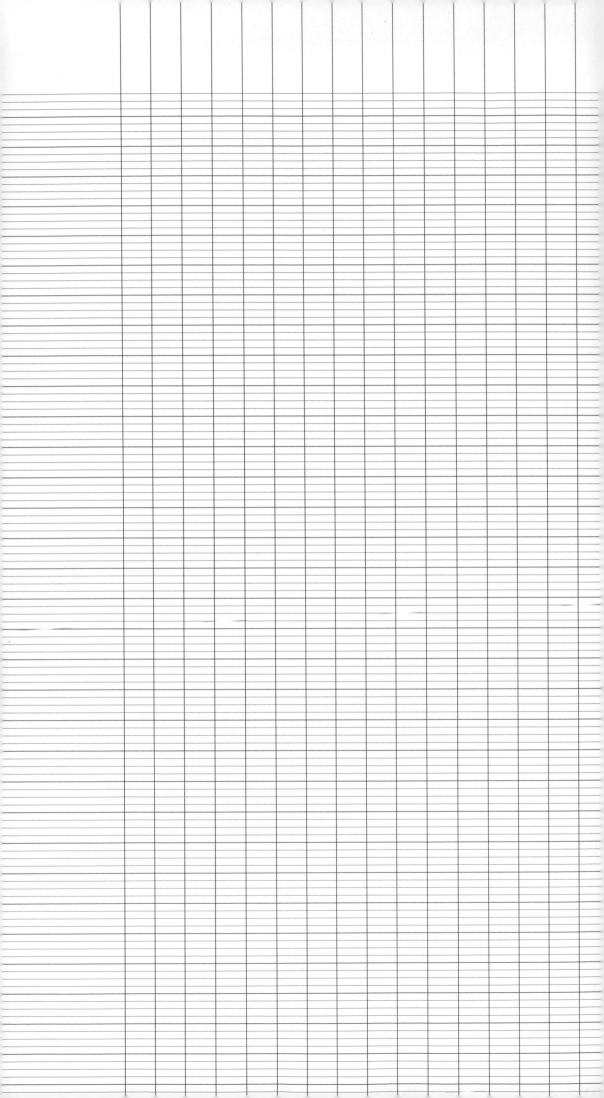